BILBO

Collection dirigée par
Stéphanie Durand

De la même auteure chez Québec Amérique

SÉRIE LES PENSIONNAIRES DE LA PATOCHE

Les Pensionnaires de La Patoche 1 – Le Secret du pommier, Bilbo, 2012.
Les Pensionnaires de La Patoche 2 – Le Vol de La Joue Ronde, Bilbo, 2012.

Les pensionnaires de La Patoche

Une disparition poilue

Catalogage avant publication de Bibliothèque et Archives nationales du Québec et Bibliothèque et Archives Canada

Bernard-Lenoir, Anne
Les pensionnaires de La Patoche
(Bilbo)
Sommaire : 3. Une disparition poilue.
ISBN 978-2-7644-2220-5 (v. 3) (Version Imprimée)
ISBN 978-2-7644-2365-3 (PDF)
ISBN 978-2-7644-2366-0 (EPUB)
I. Rowe, Marie Émilie. II. Titre. III. Titre : Une disparition poilue.
IV. Collection : Bilbo jeunesse.
PS8603.E72P46 2012   jC843'.6   C2012-941289-9
PS9603.E72P46 2012

Conseil des Arts du Canada   Canada Council for the Arts   SODEC Québec

Nous reconnaissons l'aide financière du gouvernement du Canada par l'entremise du Fonds du livre du Canada pour nos activités d'édition.

Gouvernement du Québec – Programme de crédit d'impôt pour l'édition de livres – Gestion SODEC.

Les Éditions Québec Amérique bénéficient du programme de subvention globale du Conseil des Arts du Canada. Elles tiennent également à remercier la SODEC pour son appui financier.

Québec Amérique
329, rue de la Commune Ouest, 3e étage
Montréal (Québec) H2Y 2E1
Téléphone : 514 499-3000, télécopieur : 514 499-3010

Dépôt légal : 1er trimestre 2013
Bibliothèque nationale du Québec
Bibliothèque nationale du Canada

Projet dirigé par Stéphanie Durand
Révision linguistique : Diane-Monique Daviau et Chantale Landry
Conception graphique et mise en pages : Nathalie Caron

Imprimé au Canada

ANNE BERNARD-LENOIR

Les Pensionnaires de La Patoche
Une disparition poilue

Québec Amérique

À Reine Sotty

Maison de retraite La Patoche

a	quai de pêche	**q**	piscine
b	hangar	**r**	gymnase
c	atelier	**s**	restaurant
d	mini ferme	**t**	cuisine
e	aire de non-repos	**u**	buanderie
f	café internet	**v**	salon de coiffure et de massothérapie
g	bibliothèque		
h	salle de cours	**w**	bureau du docteur
i	terrains de pétanque	**x**	infirmerie
		y	direction
j	salle de spectacle	**z**	aquarium géant
k	pataugeoire	**aa**	logements et chambres pour le personnel et la famille
l	marécage aux fines herbes		
m	volière		
n	jardin d'hiver	**bb**	forêt de déambulation
o	potager		
p	serre		

ÉTANG
DES TRUITES

MINI
VILLAS

LE GRAND
JARDIN

VERGER

RÉCEPTION

a
b
c
d
e
f
g
h
i
j
k
l
0
m
48
64
n
40
o
56
p
32
q
r
18
24
12
s
t
u
v
w
x
y
z
aa
bb
11
7
99
81
90
107
72
18

La Patoche

À première vue, La Patoche est LA maison de retraite idéale. On y trouve des chambres spacieuses qui ressemblent à des studios et sentent bon le citron, des mini villas, des parcs avec des fleurs, des bancs et des fontaines, un jardin d'hiver, une piscine, un gymnase, des animaux, une aire de non-repos pour pratiquer le yoga et le taï-chi en plein air, une bibliothèque, un café Internet, un verger et une forêt de déambulation.

Dans cet endroit de rêve, auquel toute maison de retraite devrait ressembler, vivent mademoiselle

Nina, Rose Poivrette, Louis Legris et cent quarante-deux autres pensionnaires âgés. Certains ont perdu la tête mais ont gardé leurs jambes et se promènent partout. D'autres ont perdu l'usage de la moitié de leur corps. D'autres ont tout gardé mais ont perdu leur famille. D'autres sont encore en train de se demander ce qu'ils ont perdu ou gagné pour expliquer leur présence à La Patoche…

Ce qui est certain, c'est qu'en voyant ces pensionnaires errer, jouer, lire, nager, discuter, ressasser leurs souvenirs, rire ou ronchonner, personne ne se douterait qu'il se produit d'étranges phénomènes à La Patoche. Et pourtant, pas une journée ne s'écoule sans qu'un mystérieux événement ne survienne…

Une chance que Rose, mademoiselle Nina et Louis sont là pour élucider ces mystères!

Les personnages de la série

Louis Legris
Pensionnaire de La Patoche
Ancien postier, 75 ans
Gentil et dynamique
Perd parfois la mémoire…

Rose Poivrette
Pensionnaire de La Patoche
Ancienne institutrice, 72 ans
Enjouée et perspicace
Parfois dépressive…

Mademoiselle Nina
Pensionnaire de La Patoche
Ancienne gymnaste, 69 ans
En fauteuil roulant depuis
un accident
Active et très débrouillarde
Parfois impatiente…

Monsieur Groin
Directeur de La Patoche
Méchant et grincheux

Docteur Ouate
Médecin de La Patoche
Compétent et avant-gardiste

Nathalie
Infirmière à La Patoche
Douce et attentive

Ernest
Chien cocker
Mascotte de La Patoche
Affectueux et joyeux
A tendance à baver

Pistou
Chat roux
Mascotte de La Patoche
Doux et actif
Espiègle

«Les chiens bavent. Et alors?»

Ernest

1
Les sanglots de Rose

Il pleut. À travers les larges baies vitrées du restaurant qui donnent sur le parc, on peut voir l'eau tomber du ciel et se mélanger à celle de la fontaine. Arrivé en retard et trempé jusqu'à la pointe de mes moustaches, j'ai pris d'assaut la première place disponible pour le repas du midi. Je m'apprête à plonger la cuillère dans mon bol de potage lorsque Nina s'approche de moi à grands coups de roues de fauteuil roulant. Son regard

est inquiet et ses jolis cheveux blancs sont décoiffés.

— Louis, je te cherchais partout! me crie-t-elle, énervée.

Tous les mardis matin, je vais à la bibliothèque, pour ranger les livres. Nina a sans doute oublié ce travail dont je me suis chargé (d'habitude, c'est moi qui oublie tout!). C'est pourquoi elle ne m'a pas cherché dans la salle de lecture.

— Nous avons un problème, dit-elle. Rose n'a pas quitté sa chambre, ce matin.

— C'est vrai, elle n'était pas ici à l'heure du petit-déjeuner… Qu'est-ce qui lui arrive?

— Rose est déprimée et pleure sans cesse.

Rose Poivrette est notre amie. Elle est généralement d'excellente humeur et d'un naturel enjoué, mais elle traverse parfois des périodes de grande tristesse. Elle passe des nuits blanches à sangloter dans sa chambre, pourtant décorée de fleurs. Lorsqu'elle est dans cet état, elle reste seule dans son coin, refusant de sortir et de manger.

— Il lui faut Pistou! dis-je en me levant d'un bond.

Quand le moral de Rose est à zéro, mademoiselle Nina et moi, qui sommes ses meilleurs amis, savons exactement quoi faire : nous devons trouver le chat Pistou.

C'est le génial docteur Ouate, médecin de La Patoche, qui nous en a donné l'idée :

— Amenez-lui Pistou et forcez Rose à lui prodiguer des caresses, vous verrez que son chagrin disparaîtra! Cette méthode de soins grâce aux animaux fonctionne très bien, on l'appelle la *zoothérapie*.

Le docteur Ouate a raison (il a *toujours* raison!). Chaque fois que Rose prend Pistou sur ses genoux et qu'elle enfonce ses petites mains dans le poil soyeux du chat roux qui ronronne de plaisir, ses larmes sèchent comme par magie.

Il faut que Nina et moi mettions la patte sur cet animal, et au plus vite!

2
Pistou

Pistou est un chat roux avec de grands yeux verts en amande. Il porte un fin collier couleur framboise. C'est l'une des deux mascottes de La Patoche. L'autre, c'est Ernest, le chien cocker.

Pistou est très affectueux, doux et câlin. Il n'en demeure pas moins «chat». Il possède trois couchettes favorites, toutes dans des lieux fréquentés par des humains : le coussin jaune, près de la rangée des diction-naires, dans la bibliothèque ; le fauteuil cossu du Grand Salon, face à l'aquarium géant ; la chaise longue en toile orange, sous le gros cèdre. Mais il adore aussi vadrouiller hors des bâtiments, dans les limites du domaine de La Patoche.

S'il aime recevoir des caresses et se faire gâter par les résidents de la maison de retraite, Pistou apprécie autant chasser les souris et les insectes près du potager, observer patiemment les oiseaux de la volière (souhaitant sans doute que l'un d'entre eux s'en échappe…), bondir près des grenouilles qui vivent dans le marécage ou embêter les lapins en posant ses griffes acérées sur la mince grille du clapier.

On raconte que ce petit félin aux instincts sauvages doit son

nom à la maladresse du cuisinier de La Patoche. Celui-ci aurait jadis renversé sur le chaton un savant mélange composé de trente gousses d'ail, d'un litre d'huile d'olive, de vingt feuilles de basilic frais et de cinq cents grammes de fromage puant! Tous les ingrédients du *pesto*, cette sauce méditerranéenne dont on nappe les pâtes.

Le chaton roux a empesté l'odeur de la sauce des jours durant, malgré les efforts que le personnel a déployés pour tenter de le nettoyer. On l'a plongé dans de l'eau tiède et savonneuse, on l'a enduit de ketchup, on l'a frictionné avec des rondelles de citron… Chacun y est allé de sa recette de grand-mère, mais rien n'y a fait. Pistou sentait toujours le diable! Il a fini par se lasser des séances de nettoyage et s'est échappé pour fuir dans les bois. On ne l'a plus vu pendant quatre semaines et personne n'a jamais su où il s'était caché. Pistou n'avait jamais fugué de la sorte, et il n'a jamais recommencé!

3
Pas de plan sans potage!

Resté debout, j'engloutis mon potage aux légumes en deux lampées (avec un croûton de pain). On dit que bien manger aide à réfléchir…

Puis, je répète à Nina :

— Il faut qu'on trouve Pistou!

— D'accord, Louis, fait-elle, rassurée. Mais quel plan suivre et comment nous partager les recherches?

— Bon, pensons aux endroits où ce petit chat aime flâner… Je reviens de la bibliothèque et je ne l'ai pas vu sur le coussin jaune, dans la salle de lecture… Tu vas aller voir s'il ne dort pas sur le fauteuil du Grand Salon, Nina, près de l'aquarium. Je l'y ai aperçu hier soir. Va aussi vérifier à l'infirmerie, dans la buanderie et dans les cuisines.

— Entendu. Et toi, que vas-tu faire?

— J'irai jusqu'à la ferme, en passant par l'atelier et le hangar. Avec cette pluie qui tombe à verse, Pistou ne devrait pas être à l'extérieur. On se retrouve dans la chambre de Rose. D'accord?

— Parfait, répond Nina qui s'éloigne déjà.

Nina a soixante-neuf ans. C'est la jeunette de notre groupe. Il y a longtemps, elle a subi un très grave accident de la route qui a paralysé ses jambes. Depuis cette terrible tragédie, elle ne peut se déplacer qu'en fauteuil roulant. Elle est grande et semble toute menue, mais ses bras sont musclés. C'est une ancienne gymnaste. Elle n'a plus de famille et ne reçoit jamais de visite, ni lettre, ni carte postale. C'est une situation qui l'attriste énormément et nous évitons de lui en parler.

Je la vois partir comme une fusée en direction du salon, maniant son véhicule avec adresse entre les chaises et les tables du restaurant. Il faut que je me dépêche aussi!

Que dois-je faire, déjà? Aller à la bibliothèque? Aider le jardinier à creuser des gouttières entre les rangées de légumes du potager pour qu'elles ne soient pas inondées par l'orage? Il me semble l'avoir déjà fait, hier... Ramasser les détritus tombés dans la pataugeoire à l'aide de l'épuisette? Écrire une lettre à mon fils, pour le remercier des bottes en caoutchouc qu'il vient de m'envoyer par la poste?

Saperlipopette! Je ne m'en souviens plus...

Il faut que je vous dise une chose : ma mémoire ressemble à un vieux gruyère qu'une souris invisible grignote chaque jour en silence! C'est insupportable. Parfois, je me demande si je ne vais pas oublier mon nom!

Ah oui, Pistou! Il faut retrouver Pistou au plus vite pour

aider Rose à se débarrasser de son gros chagrin!

Je revêts mon ciré jaune et sors aussitôt.

4
À la recherche de poils

C'est bien connu : les chats n'aiment pas la pluie. Je n'ai pas besoin d'inspecter sous les bancs ni sous les tables du Grand Jardin pour vérifier si Pistou s'y trouve. Ni sous la toile orange de sa chaise longue préférée, qui ressemble maintenant à un bassin pour les grenouilles !

Je traverse le parc en vitesse. Malgré la capuche de mon ciré, des gouttes d'eau tombent sur mon front et dégoulinent jusqu'à mes moustaches.

Je décide de jeter un œil dans la serre. Un jour, j'ai aperçu le chat allongé sur une dalle de pierre chaude, près des ficus. Cette fois-ci, je ne l'y vois pas.

Je passe près des baies vitrées de la salle des spectacles, qui est fermée à cette heure-ci, et je scrute les lieux à travers les rideaux entrouverts. C'est une sorte d'amphithéâtre romain, avec des gradins recouverts de coussins et une place ronde et centrale où se déroulent les séances de cinéma et de danse, les bals et autres activités culturelles de La Patoche. Pistou ne semble pas y être enfermé !

Je me hâte de partir en direction de l'ancienne grange, qui abrite l'atelier et un hangar. L'atelier est vaste et divisé en trois sections, correspondant aux activités des résidents de La Patoche : la menuiserie, la couture et la peinture. Il rassemble un fouillis d'objets et d'instruments. J'en examine chaque recoin, glissant un œil sous l'établi, près des caisses à outils, sous l'escabeau, entre les toiles à dessin, dans la boîte à tissus.

J'appelle d'une voix douce :

— Pistou, Pistou.

Sans succès.

Mes recherches dans le hangar, où le personnel entrepose les machines-outils et le matériel pour l'entretien des jardins, des terrains et des plans d'eau, ne sont pas plus fructueuses. Pas plus de Pistou dans cette grange que de poil noir dans mes moustaches ! Saperlipopette ! Où diable se cache ce chat ?

La pluie cesse enfin et je me dirige vers la miniferme. En entrant, je vois le cheval et l'âne collés l'un contre l'autre, dans le fond de leur enclos. Leurs beaux yeux étonnés me font sourire. Ils ne s'attendent pas à de la visite par un temps pareil !

Je passe la tête par-dessus la clôture pour vérifier si Pistou ne se trouve pas endormi dans le foin. Puis je vais inspecter sous le clapier où les trois lapins somnolent, et près du poulailler où caquettent les dix poules et le coq de La Patoche. J'examine enfin le contenu des deux brouettes : de la paille et pas de Pistou !

Découragé, je quitte les lieux et prends le chemin de la chambre de notre amie Rose, située dans le secteur de la piscine.

5
Un mystère sur pattes

Lorsque j'entre dans la chambre de Rose, je la découvre assise sur son lit, la tête plongée dans un mouchoir à fleurs, le corps agité de légers soubresauts. Elle sanglote toujours. Installée à ses côtés, Nina a posé une main sur son épaule. Elle me lance un regard interrogateur.

— Je n'ai pas trouvé Pistou… lui dis-je dans un gros soupir.

— Moi non plus, misère de misère… murmure-t-elle, l'air

attristé. Ce chat n'est pas dans le Grand Salon. Personne ne l'a vu à l'infirmerie, ni à la buanderie, ni dans les cuisines. Et il n'est pas dans les couloirs de La Patoche. J'ai regardé partout!

— Saperlipopette! Il n'a pas pu s'envoler!

— J'ai même vérifié dans le gymnase, ajoute Nina. C'est un vrai mystère.

— Et s'il était retourné dans sa cachette secrète?

— Quelle *cachette secrète*? s'étonne Nina.

— Tu sais, quand il était chaton, le cuisinier a fait tomber un pot de sauce sur lui et Pistou s'est enfui dans la forêt. On raconte qu'il s'y est caché pendant quatre semaines, se débrouillant seul pour manger et pour boire.

Il pourrait être retourné dans cet endroit demeuré secret.

— Je n'y avais pas pensé, m'avoue Nina.

Les sanglots de Rose s'amenuisent. Elle redresse la tête et se tourne vers nous. Les boucles de ses cheveux gris sont collées sur ses joues et ses grosses lunettes rondes, tachées de larmes. Nina lui donne un nouveau mouchoir et Rose s'essuie les yeux. Elle renifle un grand coup et nous dit :

— Vous êtes gentils de vous donner autant de mal pour moi. Si vous ne trouvez pas Pistou, c'est peut-être parce qu'il a passé la nuit chez un résident et qu'il se trouve encore dans sa chambre.

Rose pousse un long soupir et se remet à pleurer douce-ment.

— Mais oui, tu as raison, Rose! s'écrie Nina. Comment avons-nous pu oublier le règle-ment numéro deux?

Et pourtant, moi, Louis Legris, ancien postier de métier, moi qui jadis connaissais par cœur toutes les adresses et tous les prénoms des habitants de la région, je l'avais bel et bien oublié! Fichue mémoire…

Le règlement deux de La Patoche dit ceci :

2   Pistou et Ernest sont les bienvenus dans la chambre des résidents, mais ne peu-vent y demeurer plus d'une nuitée à la fois; les résidents recevant les mascottes à dormir chez eux sont tenus de leur offrir à boire dans les gamelles prévues à cette fin.

Nina renfile son imperméable et me lance :

— Suis-moi jusqu'à la réception, Louis. Nous allons vérifier tout de suite si Pistou est dans la chambre d'un résident !

6
L'appel au chat

À la réception, Nina demande à la secrétaire de vérifier dans le Registre des mascottes (c'est le grand cahier vert dans lequel le fermier, responsable d'Ernest et de Pistou, note si des pensionnaires en ont la charge durant la nuit). Elle n'y trouve aucune mention concernant Pistou pour la nuit dernière.

— Le fermier aurait peut-être pu vous renseigner, leur dit-elle. Mais il s'est absenté pour participer à la Grande Foire des machines agricoles. Il ne sera pas de retour avant deux jours.

Nina la prie alors d'envoyer un message en se servant du haut-parleur de La Patoche.

— Vous voulez qu'on utilise le haut-parleur pour vous aider à retrouver le chat? répond la secrétaire, éberluée.

— Oui, c'est très important, affirme Nina.

— Vous ne trouvez pas que vous exagérez un peu lorsque vous dites que c'est *très important*, mademoiselle Nina?

— Non.

— Bon, je vais demander l'autorisation à monsieur le directeur.

La secrétaire se lève. Le bureau de monsieur Groin se trouve juste derrière la réception. Nina me regarde en faisant une grimace. À lire la panique dans ses petits yeux noirs, je comprends que nous pensons à la même chose : non seulement monsieur Groin va refuser notre demande, mais il va nous sermonner et faire une scène en public !

Monsieur Groin n'est ni aimable, ni gentil. Nina peste souvent contre lui. Comment expliquer qu'un tel homme soit à la tête d'une organisation aussi parfaite que La Patoche ? Rose a une théorie là-dessus : selon elle, cet homme concentre tous les défauts en lui afin qu'il n'y en ait plus un seul à La Patoche ! Cette idée bizarre me plaît bien et m'aide à supporter son caractère. Je suis rassuré lorsque monsieur Groin est méchant, et quand il ne l'est plus, je m'en méfie.

— Zut, monsieur le directeur est déjà parti, marmonne la secrétaire en revenant s'asseoir à son bureau.

Elle semble réfléchir. Nina me lance un regard plein d'espoir.

— Bon, c'est d'accord, soupire la dame. Je vais le transmettre, votre message.

Nina confie à la secrétaire le petit texte qu'elle vient de rédiger rapidement.

Quelques minutes plus tard, dans les couloirs de La Patoche, on entend une voix caverneuse déclamer:

«Votre attention, s'il vous plaît. Nous recherchons le chat Pistou. Tout résident qui l'aurait accepté

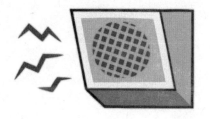

dans sa chambre au cours de la nuit dernière ou qui l'aurait actuellement en sa compagnie est prié de se faire connaître auprès de la réception dans les plus brefs délais. Merci. »

7
Une solution baveuse...

Grâce à l'audace de Nina, l'appel à tous a été lancé. Après avoir remercié la secrétaire, Nina et moi nous installons dans le Grand Salon situé en face de la réception, en attendant d'éventuelles réponses.

Après cinq minutes, une vieille dame vient nous raconter son histoire :

— C'est moi qui ai pris Ernest. Je l'ai gardé avec moi toute la nuit. Il a dormi sur mon lit. Je sais bien que je suis supposée en aviser le fermier, mais comme il n'était pas là hier et qu'Ernest était déjà dans ma chambre…

— Nous cherchons le chat Pistou, pas le cocker, madame, lui répond poliment Nina. Merci quand même.

— Ah bon, fait la dame en s'éloignant.

Ernest n'est pas Pistou, même si c'est un très gentil chien, doux et plein d'entrain. Nous l'avons déjà emmené dans la chambre de Rose et posé sur ses genoux pour la consoler. Quelle erreur! Il s'est mis à baver, baver, baver… La robe de Rose était trempée de larmes et de bave de chien! Plus jamais nous ne recommencerons!

Il est déjà tard. C'est presque l'heure du goûter. Nina et moi nous apprêtons à partir lorsque Jacques, un résident, nous accoste :

— Bonjour, Louis. Bonjour, Nina. C'est vous qui cherchez Pistou?

— Oui, lui dis-je.

— Je l'ai vu près de l'étang des Truites, ce matin.

— Près de l'étang?

— Oui. Il se promenait dans les herbes. C'était juste avant l'orage.

— Et après, sais-tu où il est allé? lui demande Nina.

— Non. Je n'en ai aucune idée. Je suis allé jouer aux cartes dans le jardin d'hiver. Bonne chance dans vos recherches! lance Jacques en repartant.

8
De la framboise qui pue

Nina et moi quittons le Grand Salon aussitôt. Si Pistou a été vu ce matin près de l'étang des Truites, peut-être qu'il s'y trouve encore!

Nous traversons le Petit Jardin, puis le Grand, croisant les résidents de La Patoche en route pour le goûter. Nina suit l'allée de dalles en pierre qui fait le tour des bâtiments et mène aux confins du domaine. Même si son fauteuil roulant est équipé de grosses roues tout-terrain, il est plus facile pour elle de circuler sur cette allée que sur la pelouse trempée d'eau de pluie. Juste après la bibliothèque, Nina tourne vers la gauche, en direction de l'étang.

— Allez, Louis! me crie-t-elle. Dépêche-toi!

Nina roule vite. Avec mes soixante-quinze ans bien sonnés, j'ai du mal à suivre le rythme!

Nous arrivons enfin aux abords du petit lac. Au milieu du plan d'eau, un pêcheur en ciré vert somnole dans sa barque. Sur la rive, pas de trace de Pistou. Je propose à Nina de continuer notre chemin jusqu'au quai. Tout en avançant, nous examinons attentivement les alentours.

— Pistou, Pistou, appelle Nina.

Au bout du quai, quelqu'un a laissé un grand parapluie, un panier en plastique troué et une paire de grosses chaussures. Soudain, je vois un drôle d'objet d'un rouge lumineux au pied des marches qui mènent au quai.

— Regarde !

Nina a vu mon doigt pointé dans une direction et elle s'approche du lieu à toute vitesse. Elle se penche pour ramasser cette mystérieuse trouvaille en forme de lacet et se tourne vers moi en me montrant l'objet :

— C'est le collier de Pistou !

Nina a raison. Il s'agit bien du ruban satiné couleur framboise qui ne quitte jamais le cou de Pistou!

— Misère de misère, murmure Nina, l'air inquiet.

— Il faut poser des questions au pêcheur, lui dis-je. Ce sont sans doute ses affaires qui traînent sur le quai. S'il pêche depuis longtemps, il a pu croiser Pistou dans les parages.

Nina hoche la tête, puis elle se met à agiter les bras en direction du pêcheur et en criant de toutes ses forces :

— Monsieur! Monsieur!

— Oui? finit par répondre le pêcheur en se redressant dans sa barque.

— Pardon de vous déranger. Est-ce que vous auriez vu un chat roux, par hasard?

— Un chat roux? Non. Je ne fais pas attention à ce qui se passe sur la rive, vous savez. Les poissons ne s'attrapent pas dans l'herbe!

— Je comprends. Merci, monsieur.

— De rien.

Pendant que Nina s'entretenait avec le pêcheur, j'ai sorti ma grosse loupe pour examiner le collier de Pistou de plus près. Il n'est ni cassé ni coupé, mais dénoué.

— Je crois que ce collier était mal attaché et que notre chat l'a perdu au cours de sa promenade, Nina, lui dis-je en le faisant virevolter sous son nez.

— Il pue! s'écrie Nina en gri-
maçant.

Intrigué, je place le ruban
rose sur mes moustaches :

— Pouah! Tu as raison! Il
sent le poisson pourri!

9
Un faux castor

Pistou ne sent jamais le poisson pourri. C'est un animal de compagnie, la mascotte de La Patoche. Il est entretenu comme une peluche pour pouvoir être dorloté par les résidents. C'est un chat thérapeutique, un chat guérisseur, un chat formidable. Il ne peut pas sentir le poisson pourri.

— Mais qu'est-ce qui a pu se passer? me demande Nina.

— Je n'en sais rien... Continuons de chercher. Inspectons

les rives de l'étang jusqu'à la forêt. Pistou est peut-être en train de manger un vieux poisson près d'ici.

— Pistou, Pistou! appelle Nina en roulant jusqu'aux premiers arbres.

C'est alors que j'entends quelque chose. Des bruits proviennent du petit fossé, près des marécages qui bordent la forêt. Nina se tourne vers moi. Elle a entendu ces bruits, elle aussi. Il s'agit de miaulements!

— Pistou! crie-t-elle plus fort, alors que je me précipite dans le fossé.

Je vois une caisse en bois aux larges planches espacées. Je l'ai déjà aperçue: c'est un ancien piège à castor, qui date du temps lointain où la chasse était autorisée. Le couvercle est coincé par une branche. Je prends la caisse entre mes mains, la soulève pour la sortir de l'ornière et la pose sur le talus.

À travers les planches, on peut voir le museau de Pistou. Le chat semble effrayé et tout mouillé.

— Misère de misère, chuchote Nina.

Sous ses yeux attendris, j'enlève la branche pour libérer le couvercle.

— Miaou, fait Pistou.

Je le prends dans mes bras et le confie à Nina.

— Qui a mis notre pauvre Pistou dans cette horrible cage? lui dis-je, en colère. La chose est claire : il n'a pas perdu son ruban tout seul! Je crois plutôt que quelqu'un l'a brutalisé! Suis-moi, Nina, j'ai ma petite idée.

10
L'ami de mon ennemi

Je retourne près de l'étang sur le quai en bois, car je souhaite inspecter les affaires qu'on y a laissées. Sous l'œil attentif de Nina, qui m'a suivi avec Pistou prostré sur ses genoux, j'examine le grand parapluie, le panier en plastique troué et la paire de chaussures.

— Je m'en doutais, dis-je.

— De quoi te doutais-tu? s'étonne Nina.

— Regarde!

Je montre à Nina ce que j'ai retiré près du panier en plastique troué : une touffe de poils roux. Des poils courts, un peu duveteux, semblables à ceux de Pistou.

Nina me regarde, effarée.

Je scrute le plan d'eau. Le pêcheur est reparti pêcher au centre du petit lac. Je crie dans sa direction :

— Monsieur, est-ce que ces affaires vous appartiennent?

— Quoi? répond le pêcheur, plus grognon que tantôt.

Je répète ma question d'une voix plus forte :

— Est-ce que ces affaires posées sur le quai vous appartiennent?

— Oui, pourquoi? Elles vous gênent? J'aimerais bien qu'on cesse de hurler sur cet étang! Je suis là pour pêcher, moi.

— C'est vous qui avez enfermé notre chat dans la vieille caisse? s'écrie Nina.

— Votre chat est un sale voleur! rétorque le pêcheur. Un goinfre et un sale voleur! Il a joué avec mes appâts et a dérobé deux poissons dans ma musette pendant que je pêchais tôt ce matin. Qu'il s'estime chanceux!

J'aurais pu l'assommer d'un coup de rame ou le noyer dans cet étang, et vous ne l'auriez jamais retrouvé.

— Oh, c'est répugnant! fait Nina, dégoûtée. Vous n'avez même pas le droit de venir pêcher ici!

— C'est monsieur Groin en personne qui m'y a autorisé, réplique le pêcheur. Vous n'avez qu'à vous plaindre à lui.

Monsieur Groin? Nina me lance un regard apeuré. Que vient faire le directeur de La Patoche dans cette histoire?

— Le directeur est un ami, ajoute le pêcheur. Je lui dirai que ses résidents passent leur temps à harceler les visiteurs et qu'il y a des voleurs à La Patoche.

Ses résidents? Des voleurs à La Patoche? Nina est furieuse. Je devine les gros mots qui vont sortir de sa bouche!

— Espèce de…

— Non, Nina, retiens-toi! lui dis-je. Partons d'ici, plutôt. Laissons cet imbécile avec ses poissons stupides et allons voir Rose avec Pistou. Elle a besoin de lui. Ne perdons pas ce temps précieux et allons la réconforter.

Nina regarde Pistou, qu'elle avait presque oublié. Il se trouve dans un piteux état. Lui aussi a besoin de réconfort!

11
Rose et Pistou

Avant de se rendre chez Rose, je propose à Nina d'aller à l'infirmerie pour emprunter une serviette chaude et laver Pistou. Il faut le rendre plus présentable! Nathalie, la plus merveilleuse des infirmières de La Patoche (et si jolie!), nous aide dans notre tâche. Elle emmitoufle le chat dans un linge avec douceur, fait sa toilette et noue un ruban framboise neuf autour de son cou, sans poser de question.

Nous passons ensuite chez Nina pour prendre un carton de lait dans son grand réfrigérateur et des collations. Notre amie garde toujours des trésors à grignoter dans sa mini villa (moi, je suis tellement gourmand que les placards de ma cuisine sont toujours vides!).

— Ça y est, je suis prête! déclare Nina, alors que je l'attends devant chez elle, tenant Pistou dans mes bras. On peut y aller!

Je la regarde d'un air intrigué :

— Aller où?

Je ne m'en souviens plus. Et d'ailleurs, qu'est-ce que je fabrique avec ce chat? Devons-nous nous rendre à l'infirmerie? Est-ce le jour de visite du vétérinaire? Fichue mémoire…

— Voyons, Louis! Tu as déjà oublié? Nous allons chez Rose pour lui emmener Pistou, qui va la consoler.

— Saperlipopette! Bien sûr, nous allons chez Rose!

Notre amie est toujours en train de sangloter dans son mouchoir à fleurs et semble ignorer notre arrivée. Ce n'est que lorsqu'on pose Pistou sur ses genoux que Rose tourne la tête vers nous, affichant un sourire.

Le chat s'installe confortablement en ronronnant. Puis Rose enfouit ses petites mains dans son poil roux.

— Nom d'une carotte, lui dit-elle avec douceur. Je ne sais pas d'où tu viens, Pistou, mais tu n'as jamais senti aussi bon!

Rose se met à rire.

Je soupire de soulagement en lançant un clin d'œil complice à Nina. Quelle aventure! Un jour, nous dirons la vérité à Rose. D'ailleurs, elle la connaîtra bien assez vite grâce au bouche-à-oreille qui a cours à La Patoche! En effet, le comité des résidents aura tôt fait d'apprendre la nouvelle et de s'offusquer de ce qu'un ami du directeur pêchait dans notre étang et qu'il ait en outre enfermé notre adorable mascotte dans l'affreux piège à castor!

Pour le moment, Rose croit que nous avons trouvé Pistou endormi dans l'une des chambres de La Patoche, et c'est très bien ainsi. Il n'est pas encore temps de lui raconter cette triste histoire alors qu'elle vient de retrouver le sourire!

RÈGLEMENTS
DE LA PATOCHE

1 Il est interdit de se reposer dans l'aire de non-repos, qui est un pré destiné à la pratique du yoga, du taï-chi, du défoulement et des jeux en plein air. Les résidents désirant se reposer peuvent utiliser les chaises et bancs du parc, ainsi que tous lès espaces couverts prévus à cet effet.

2 Pistou et Ernest sont les bienvenus dans les chambres des résidents, mais ne peuvent y demeurer plus d'une nuitée à la fois; les résidents recevant les mascottes à dormir chez eux sont tenus de leur offrir à boire dans les gamelles prévues à cette fin.

3 Les animaux de compagnie des résidents sont les bienvenus à La Patoche, en autant qu'ils soient propres et gentils, et qu'ils s'entendent bien avec Ernest et Pistou.

4 Il est interdit de baigner les animaux dans la piscine.

5   Les légumes et les petits fruits du potager sont pour tous. Les résidents sont invités à penser aux autres et à réprimer leur gloutonnerie.

6   Il est déconseillé d'organiser des activités de groupe dans la forêt de déambulation, destinée à la promenade sans but précis.

7   Le marécage est un espace destiné au barbotage. Ceux et celles qui redoutent de se salir sont priés de ne pas s'en approcher.

8   Il est interdit de monter sur le cheval ou sur l'âne sans l'autorisation d'une infirmière ou du fermier.

9   Il est interdit de se promener tout nu, sauf au moment de l'activité mensuelle organisée dans la piscine.

10 Tout résident désirant se baigner dans le grand étang doit, pour des raisons de sécurité, prévenir une infirmière et revêtir un « habit-bouée » (disponible dans les placards du gymnase).

11 Les documents de la bibliothèque, y compris ceux en braille, ne peuvent être empruntés pour une durée excédant trois semaines ; chaque document est équipé d'une puce à clochette et à voyant lumineux rouge (pour rappeler la date de retour du document aux usagers ayant des incapacités auditives ou visuelles, ou des problèmes de mémoire).

12　Les résidents qui désirent travailler sont invités à s'inscrire sur les listes affichées à la réception pour s'occuper du potager, de l'entretien des fleurs, des arbres de la forêt, des animaux et de la ferme, pour participer aux travaux dans l'atelier ou gérer les livres de la bibliothèque. Sachez que le village voisin, l'école et la garderie sont aussi à la recherche de bénévoles pour assumer diverses tâches. Le travail ne manquant pas, votre aide sera grandement appréciée !

13　Un pique-nique est organisé chaque premier jeudi du mois, près de l'étang ; en cas de mauvais temps, il se déroule sous la verrière du jardin d'hiver. Les résidents sont invités à apporter leur serviette de table.

14　En cas de mauvais temps, le bal ayant lieu dans le parc chaque samedi soir est déplacé dans la salle de spectacles.

15　Les résidents de La Patoche sont invités à déposer leurs commentaires et leurs suggestions dans la boîte aux lettres géante située à la réception.

Table des matières

À lire également :

ANNE BERNARD-LENOIR

Les Pensionnaires de la Patoche

Le Secret du pommier

1

Québec Amérique

BILBO

ILLUSTRATIONS DE MARIE ÉMILIE ROWE

Les Pensionnaires de La Patoche 1
Le Secret du pommier

Dissimulé sous un large chapeau, un inconnu fuit le verger de La Patoche. La curiosité de Nina, de Rose et de Louis est aussitôt piquée. Qui est l'homme masqué? Quel secret cachent les vieux papiers qu'ils découvrent? Et si tout cela avait un lien avec la fondation de La Patoche?

ANNE BERNARD-LENOIR

2

Les Pensionnaires de la Patoche

Le Vol de *La Joue Ronde*

Québec Amérique

BILBO

ILLUSTRATIONS DE MARIE ÉMILIE ROWE

Les Pensionnaires de La Patoche 2
Le Vol de *La Joue Ronde*

La Joue Ronde, une toile affreuse peinte par le directeur de La Patoche, est disparue! Surpris devant le mur vide, Rose, Nina et Louis sont accusés du vol de la toile. Il leur faut vite rétablir la vérité. Où la toile est-elle passée? Qui aurait bien pu vouloir s'en emparer et pourquoi? A-t-elle vraiment été volée?

De la même auteure

SÉRIE PACIFIC EXPRESS

L'inconnu de Beaver, La courte échelle, 2012.
La tabatière en or, La courte échelle, 2011.
Terreur sur la ligne d'acier, La courte échelle, 2011.
La disparition de Ti-Khuan, La courte échelle, 2011.

SÉRIE ENIGMAE.COM

L'expédition Burgess, La courte échelle, 2011.
L'orteil de Paros, La courte échelle, 2011.
Le destin des sorciers, La courte échelle, 2010.
Le secret de l'anesthésiste, La courte échelle, 2010.

SÉRIE LES AVENTURES DE LAURA BERGER

La Piste du lynx, Hurtubise, 2008.
Le Tombeau des dinosaures, Hurtubise, 2007.
La Nuit du Viking, Hurtubise, 2006.
À la Recherche du Lucy-Jane, Hurtubise, 2005.

 Visitez le site de
Québec Amérique jeunesse !

www.quebec-amerique.com/index-jeunesse.php

ANNE BERNARD-LENOIR

Signant déjà les enquêtes de *Enigmae.com* et de *Pacific Express* à La courte échelle et auteure des aventures de Laura Berger chez Hurtubise, Anne Bernard-Lenoir a plus d'une série dans son sac ! Nominée aux Prix du Gouverneur général en 2011, l'auteure a aussi participé aux tournées *Livres en fête !*, *Lire à tout vent*, au *Wordfest* de Calgary et à *Idélire*, dans le grand Vancouver. Avec *Les Pensionnaires de La Patoche*, elle fait bon usage de sa formation en géographie et en études urbaines en proposant un lieu de vie idéal pour ses nouveaux personnages, des gens âgés curieux et dynamiques.

MARIE ÉMILIE ROWE

Jeune artiste issue du domaine du dessin animé, Marie Émilie Rowe prête maintenant son imagination à la compagnie de jeu vidéo Sava Transmédia en tant qu'artiste 2d. Elle a travaillé sur la série animée *Vie de Quartier* à Radio-Canada, sur divers projets d'illustrations pour des clients comme Télé-Québec et a participé au collectif de bande dessinée *Académie des chasseurs de prime, Tome 2.5 En vacances !* publié aux Éditions 400 coups. Illustratrice de la série *Les Pensionnaires de La Patoche*, elle crée des personnages irrésistibles aux bouilles sympathiques.

Fiches d'exploitation pédagogique

Vous pouvez vous les procurer sur notre site Internet
à la section jeunesse / matériel pédagogique.

www.quebec-amerique.com

GARANT DES FORÊTS | L'impression de cet ouvrage sur papier recyclé a
INTACTES | permis de sauvegarder l'équivalent de 6 arbres de
| 15 à 20 cm de diamètre et de 12 m de hauteur.

Achevé d'imprimer au Canada
sur papier Enviro 100% recyclé
sur les presses de Imprimerie Lebonfon Inc.